Mario Audet

L'endroit secret

Illustrations de
Dominique Pelletier

Case postale 1202
Lévis (Québec) G6V 6R8
CANADA
Téléphone : 418 833-5607
Télécopieur : 418 833-9723
info@envolee.com
www.envolee.com

www.envolee.com/duplaisiralire

Mario Audet
DIRECTEUR

Odette Désilets
CONCEPTRICE-RÉALISATRICE GRAPHIQUE

Mario Audet
AUTEUR

Dominique Pelletier
ILLUSTRATEUR

L'endroit secret

Dépôt légal
Bibliothèque et Archives nationales
du Québec, 2016
Dépôt légal
Bibliothèque et Archives Canada, 2016

ISBN 978-2-89488-54 5-1

SODEC
Québec

Financé par le gouvernement du Canada.   Funded by the Government of Canada. | Canada

À Alia.
Merci d'avoir partagé avec moi
ton aventure à l'hôpital.

Chapitre 1

LA VARICELLE

Lorsqu'elle a envie de rêvasser, Bella se réfugie dans le placard situé sous l'escalier qui monte à l'étage de la vieille maison familiale. Il contient des manteaux, un aspirateur, une vadrouille, un petit coffre de bois et des boîtes remplies de choses.

Pour Bella, ce placard n'est pas ordinaire, il est extraordinaire. C'est sa petite maison protectrice, son endroit secret. Il a une fenêtre. Une belle grande fenêtre qui laisse entrer le jour et des mondes imaginaires. Bella pense qu'elle est la seule à avoir découvert cet endroit. Elle en a fait son royaume.

Aujourd'hui, Bella n'ira pas à l'école. Elle n'ira pas à l'école non plus demain ni après-demain. Elle a la varicelle et c'est contagieux. Elle restera à la maison, mais ça ne la contrarie pas du tout. Elle aura tout son temps pour profiter de son endroit secret.

La mère de Bella restera aussi à la maison. Elle pourra prendre soin de sa petite malade de huit ans.

Bella entre dans le placard. Le placard est inondé de lumière. Le soleil resplendit à la fenêtre. Bella referme la porte et s'assoit sur le coffre de bois. Elle imagine que c'est son siège de pilote. Aux commandes d'un vaisseau spatial, elle navigue dans l'Univers. Elle atterrira bientôt sur la planète ZX-8.

Toutefois, ce qu'elle a vécu hier soir n'était pas le fruit de son imagination. Bella se rappelle comment son congé forcé a commencé.

Chapitre 2

L'HÔPITAL

— Maman, maman! Vite, viens voir, crie Bella de la salle de bain.

Sa mère accourt aussitôt et constate le désarroi de sa fille.

— J'ai la peau toute rouge, dit Bella désemparée.

Sa mère pense que l'eau du bain est trop chaude. Elle y touche. L'eau est plutôt tiède.

— Regarde, maman! J'ai des petits boutons partout sur le corps. Qu'est-ce qui se passe? demande Bella, affolée.

— Tu es peut-être allergique à ton nouveau savon, lui répond sa mère pour la rassurer.

Sans laisser voir son inquiétude, la mère de Bella l'aide à s'habiller. Quelques minutes plus tard, les voilà à l'urgence de l'hôpital.

À l'hôpital, une médecin vient vite examiner Bella. Le corps de Bella rougit de plus en plus, et les petits boutons poussent comme des champignons. Bella a tous les symptômes de la varicelle, sauf qu'elle ne fait pas de fièvre. La médecin se demande si la varicelle peut apparaître sans une hausse de la température. Elle consulte son grand livre médical sous le regard inquiet de la jeune malade.

— Je vais téléphoner à un collègue de l'hôpital Sainte-Justine, confie la médecin à la mère de Bella en quittant la salle d'examen.

— Elle devrait téléphoner à grand-maman, dit Bella d'un ton assuré.

— Mais voyons mon cœur, répond sa mère, grand-maman n'est pas médecin, elle est secrétaire médicale.

Pour Bella, sa grand-mère est une sorte de médecin. Elle sait soigner toutes les petites blessures. Elle possède un tas de livres de médecine et connaît toutes les maladies. Sa grand-mère guérit même les chagrins.

Quelques instants plus tard, un infirmier vient auprès de Bella. Il veut lui faire une prise de sang.

— Non ! crie Bella, je ne veux pas de piqûre.

Sa mère la rassure. Bella finit par se résigner. L'infirmier quitte les lieux avec deux échantillons de sang.

— Maman, murmure Bella. On dirait que la piqûre m'endort.

Sa mère lui caresse tendrement les cheveux, puis la jeune malade, épuisée, sombre dans un profond sommeil.

Tard dans la soirée, Bella est de retour à la maison avec la varicelle, des médicaments et trois jours de congé d'école.

Chapitre 3

LA VADROUILLE

—Arrête! tu me chatouilles, dit Bella.

C'est la vadrouille. Elle est accrochée au mur derrière Bella. Elle lui frôle la nuque avec sa longue chevelure de coton. La première fois que Bella l'a vue, elle l'a tout de suite aimée. Elle en a aussitôt fait son amie imaginaire.

— Comment c'est dehors, aujourd'hui? demande la vadrouille.

— Mais voyons, tu vois bien que je suis malade. Je ne suis pas sortie, répond Bella.

— C'est quoi, ta maladie? demande la vadrouille.

— La varicelle, dit Bella. Ça ne fait pas mal, mais ça pique. Il ne faut surtout pas que je me gratte. Tu n'es jamais malade, toi?

— Moi, non, je ne suis jamais malade. Je n'attrape jamais de microbes. Ces affreux petits monstres ne me font pas peur. Avec de l'eau savonneuse, je les fais disparaître. Et après une journée de grand ménage, je me repose au soleil. Ta mère me suspend à la corde à linge pour me faire sécher. C'est comme si je faisais un tour de manège. Parfois des oiseaux me rendent visite et...

Pendant que la vadrouille poursuit son récit, Bella se lève et fouille dans le coffre qui lui sert de siège. C'est la première fois qu'elle explore le contenu de ce coffre. C'est une sorte de bibliothèque. Il contient une foule de magazines. Bella est bien décidée à les regarder tous.

Chapitre 4

LE LIVRE

Entre deux magazines, Bella découvre un livre. C'est un roman pour enfants. Elle lit le titre sur la couverture qui s'est décolorée : *Le vainqueur du rodéo*. Un cowboy est solidement agrippé au dos d'un cheval cabré. Il maîtrise fièrement sa monture. Curieuse, Bella ouvre le livre. Sur la première page, elle aperçoit un texte écrit à la main.

— Qu'est-ce que c'est écrit? demande la vadrouille en regardant par-dessus l'épaule de Bella.

— C'est écrit : « Félicitations pour tes bons résultats scolaires! Anatole Ouellet, inspecteur d'école, 23 juin 1958. »

— Qu'est-ce que ça veut dire? dit la vadrouille, intriguée.

— Je ne sais pas, répond Bella. Mais, d'après la date, je sais que ce livre est très vieux.

Bella commence la lecture de sa trouvaille. Elle est aussitôt transportée en plein Far West. À la fenêtre du placard, elle imagine une écurie et un enclos. Dans l'enclos, il y a un pur-sang au galop. Au loin, les sommets des montagnes sont enneigés. Le soleil les couvre de sa lumière dorée. Ça sent le foin, le cuir et le crottin. Bella part en voyage sur le dos des mots de cette histoire de cow-boy.

— Qu'est-ce que le livre raconte ? demande la vadrouille.

Pour faire profiter son amie de ce magnifique récit, Bella poursuit sa lecture à voix haute. Elle modifie sa voix selon les personnages afin de captiver son auditrice. Bella et la vadrouille passent une journée splendide. La jeune lectrice fait des pauses seulement pour manger, aller aux toilettes et prendre ses médicaments. Lorsqu'elle lit les dernières lignes, un ciel orange apparaît derrière les montagnes aux sommets enneigés. Au même moment, la mère de Bella l'appelle pour le repas du soir. Voilà qui termine bien une première journée de congé de maladie.

Chapitre 5

LE MUR OBSCUR

Bella prend son petit déjeuner quand elle entend du placard :

— Vite ! dépêche-toi.

C'est la vadrouille qui s'impatiente. Elle s'est réveillée avec le soleil et attend Bella depuis ce moment.

Bella avale son bol de céréales et court rejoindre son amie imaginaire.

—Comment vas-tu? demande Bella à la vadrouille.

—Je vais très bien. Et toi?

—Ça va très bien aussi, répond Bella. Mes boutons ont commencé à sécher. Ça me pique moins.

Le placard est baigné de soleil. Bella regarde par la fenêtre. Les maisons aux couleurs vives semblent sortir d'un livre de contes. Des hommes et des femmes vont travailler. Des oiseaux voltigent d'arbre en arbre. Un écureuil, nerveux, se gave de graines de tournesol dans une mangeoire. Bella a l'impression que la fenêtre est un écran de téléviseur et qu'elle regarde un film grandeur nature.

Soudain, le ciel se couvre de nuages. Le placard s'assombrit. Un seul rayon de soleil réussit à percer le voile nuageux et entre par la fenêtre. Tel un projecteur, il éclaire une partie de la porte. Bella croit que le soleil veut lui indiquer quelque chose. Elle s'approche de la porte et examine la partie éclairée. Bella découvre une inscription gravée dans le bois. Elle n'arrive pas à la lire en raison de la peinture qui la recouvre. À l'aide d'un crayon de plomb, Bella barbouille les mots, qui finalement livrent leur message.

REGARDE LE MUR OBSCUR.

Bella se questionne. Mais qui a écrit cette phrase? Et quel est ce mur obscur?

— Le sais-tu, toi? demande-t-elle à la vadrouille.

—Je ne sais pas... Je n'avais jamais remarqué cette inscription. En plus, je ne sais pas lire...

Alors, Bella se lance dans une importante enquête. Elle réfléchit...

Le mot obscur veut dire « qui n'est pas éclairé ». Pour l'instant, les quatre murs du placard sont obscurs, mais un seul est à regarder. De quel mur peut-il s'agir ? Bella réfléchit encore... Tout à coup, elle se rappelle que le mur de la fenêtre est toujours moins éclairé que les autres, même quand le soleil emplit le placard de sa lumière.

— J'ai trouvé ! annonce-t-elle à la vadrouille. C'est le mur de la fenêtre !

Bella s'approche vite de ce mur pour le regarder, mais il fait trop sombre. Elle ne voit presque rien.

Alors Bella a une idée. Elle sort du placard à toute vitesse. Elle revient trente secondes plus tard avec une lampe de poche. Bella allume la lampe et éclaire le mur de la fenêtre. Le mur montre ses vieilles planches disposées à l'horizontale. Bella les inspecte toutes, de haut en bas, puis de droite à gauche. Bella a l'impression qu'elles sont en pierre, comme si le temps les avait pétrifiées.

Tout à coup, elle remarque une planche plus petite que les autres. Cette planche n'est pas plus longue qu'une brique. En plus, elle est retenue par deux vis noires, tandis que les autres planches sont clouées. Bella croit avoir trouvé quelque chose. Elle informe la vadrouille qu'elle sort chercher un tournevis.

Munie de l'outil et de sa lampe de poche, la jeune exploratrice revient dans le placard. Elle place le tournevis sur la tête de la première vis et tourne vers la gauche. La vis résiste, puis crac! Elle se met à tourner. Bella réussit à la retirer de la planche. Puis elle s'attaque à la seconde vis. Par chance, celle-ci offre peu de résistance. Elle est aussi facile à dévisser et à retirer que la première. Maintenant, les deux vis ne sont plus un obstacle. Bella utilise le tournevis comme levier pour extraire la planche du mur. Le mur montre un trou noir.

Bella dirige le faisceau de sa lampe de poche sur le trou noir. Elle est craintive. Des rats ont déjà occupé les murs de la maison. Son père les a tous fait exterminer, mais elle a peur de tomber sur le squelette d'un de ces rongeurs. Toutefois, lorsqu'elle voit le contenu du trou, son excitation l'emporte sur sa peur. C'est une vieille boîte métallique recouverte de poussière et de brins de scie. Bella la saisit. Son cœur bat la chamade. Elle s'empresse de montrer sa découverte à la vadrouille, puis elle ouvre la boîte.

Chapitre 6

LA BOÎTE AUX TRÉSORS

La boîte est remplie de différents petits objets : un paquet de cartes de joueurs de hockey des Canadiens de Montréal, de superbes billes, des pièces de monnaie, un criquet jouet, des timbres et un petit carnet.

Bella ouvre le carnet et le parcourt. Les premières pages sont remplies de débuts d'histoires écrits à la main. Chaque début d'histoire est suivi de deux pages blanches. Bella referme le carnet. Elle veut le remettre dans la boîte quand une photo et un mot tombent. Elle lit le mot :

18 janvier 1958

Bonjour, je m'appelle Octave. J'ai 8 ans. Tu as trouvé ma boîte aux trésors. Maintenant, elle t'appartient.

Sur la photo, un jeune garçon sourit devant une maison. Aussitôt, tout se bouscule dans la tête de Bella. Elle reconnaît cette maison : c'est la sienne. En plus, son grand-père s'appelle Octave. Bella ne fait ni une ni deux. Elle court demander à sa mère si le garçon sur la photo est bien lui. Sa mère lui confirme qu'il s'agit de son grand-père. Sans perdre un instant, Bella prend le téléphone.

Chapitre 7

OCTAVE

— Allô! dit Octave.

— Grand-papa! s'exclame Bella.

— Oh! bonjour, Bella, comment vas-tu?

— Grand-papa! J'ai trouvé ta boîte aux trésors!

— Ah oui!? Parles-tu de ma boîte cachée dans un mur du placard?

— Oui! Je l'ai trouvée!

— Eh bien! C'est toute une surprise! Je suis très content que tu l'aies trouvée, mon beau cœur.

Le grand-père de Bella est écrivain. Il a soixante-huit ans. Quand il avait huit ans comme sa petite-fille, il rêvassait dans le placard, lui aussi. Il y attrapait des histoires. Pour ne pas les oublier, il en écrivait le début. Les pages laissées blanches contenaient la suite des histoires. Ainsi, en lisant le début de chaque histoire, il se souvenait de la suite. Parfois, il s'amusait à inventer une suite différente.

— Il y a encore des milliers d'histoires à attraper dans le placard, dit Octave à Bella. Il te suffit d'écouter. Prends le livre blanc et le stylo que je t'ai offerts pour ton anniversaire. C'est avec eux que tu pourras les attraper.

— Merci beaucoup grand-papa, dit Bella. Je vais suivre tes indications à la lettre. Viendras-tu voir la boîte aux trésors?

— Bien sûr! Je serai chez toi samedi matin. À bientôt mon trésor!

— À bientôt grand-papa.

Le lendemain, Bella entre dans le placard avec son livre blanc et son stylo. Elle s'assoit, puis elle écoute. Après quelques minutes de silence, Bella dit à son amie imaginaire :

— Je n'entends rien. Entends-tu quelque chose, toi ?

— Entendre quoi ? demande la vadrouille.

— Une histoire ! Grand-papa m'a dit qu'il y avait des histoires à attraper ici.

La vadrouille, intriguée, tend l'oreille, puis elle chuchote :

— Bella, j'entends une histoire ! Écoute !

Il était une fois, une belle et gentille vadrouille qui vivait dans un endroit secret...

Fin

www.duplaisiralire.com